Yoshio Nakae y Noriko Ueno
El chaleco de Ratoncito

LATA
de
SAL

Título original: *Nezumi Kun no Chokki*
por Yoshio Nakae y Noriko Ueno
© del texto: Yoshio Nakae, 1974
© de las ilustraciones: Noriko Ueno, 1974
Todos los derechos reservados.
La edición original japonesa fue publicada por POPLAR Publishing Co., Ltd.
Esta edición ha sido publicada por acuerdo con
POPLAR Publishing Co., Ltd., Tokio, Japón,
a través de Port Cerise llc, Tokio, Japón.

© de esta edición: Lata de Sal, 2017

www.latadesal.com
info@latadesal.com

© de la traducción: Suevia Sobral Santiago
© del diseño de la colección y la maquetación: Aresográfico

ISBN: 978-84-946650-0-4
Depósito Legal: M-2989-2017

En las páginas interiores se ha usado
papel de 160 g y se ha encuadernado en cartoné plastificado mate,
en papel estucado de 128 g sobre cartón de 2,5 mm.
El texto se ha escrito en Eames Century Modern.
Sus dimensiones son 237 × 206 mm.

Y este libro se hace grande con cada página.

EL CHALECO DE

Ratoncito

Yoshio Nakae y Noriko Ueno

LATAdeSAL

Vintage

—Mi mamá me tejió este chaleco.
Me queda perfecto, ¿verdad?

—¡Qué chaleco más bonito!
¿Me lo dejas probar?

—Sí.

—Es un poco justo pero, ¿me queda bien?

—¡Qué chaleco más bonito!
¿Me lo dejas probar?

—Sí.

—Es un poco justo pero, ¿me queda bien?

—¡Qué chaleco más bonito!
¿Me lo dejas probar?

—Sí.

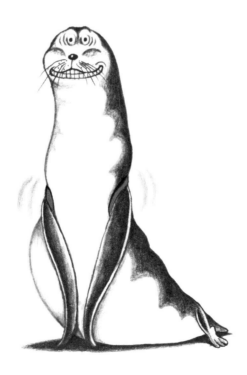

—Es un poco justo pero, ¿me queda bien?

—¡Qué chaleco más bonito!
¿Me lo dejas probar?

—Sí.

—Es un poco justo pero, ¿me queda bien?

—¡Qué chaleco más bonito!
¿Me lo dejas probar?

—Sí.

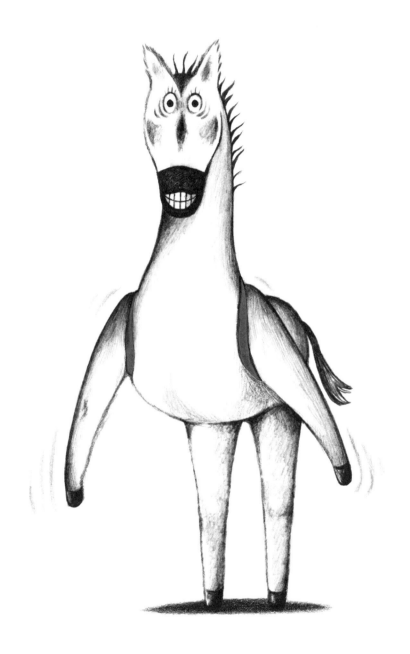

—Es un poco justo pero, ¿me queda bien?

—¡Qué chaleco más bonito!
¿Me lo dejas probar?

—Sí.

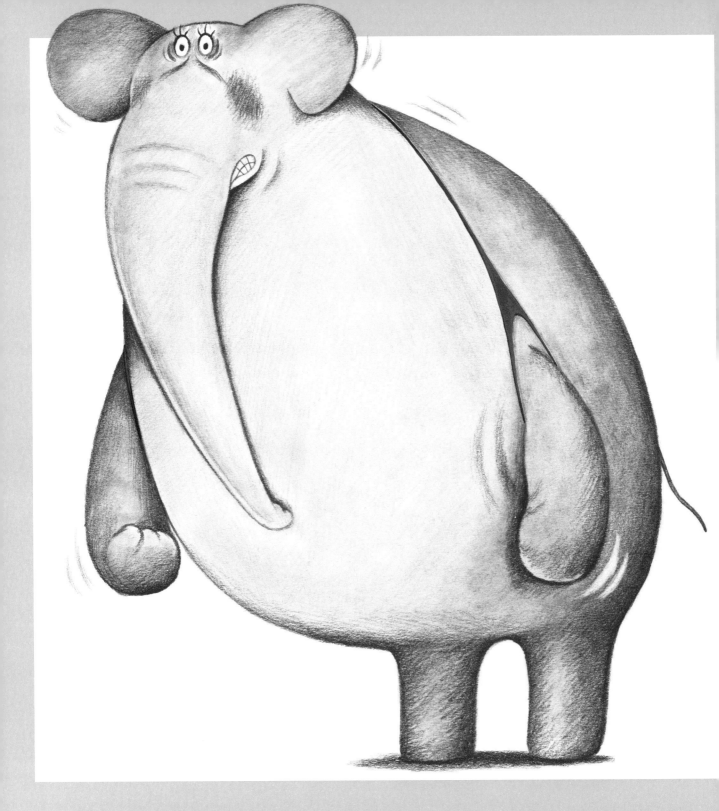

—Es un poco justo pero, ¿me queda bien?

—¡Madre mía! ¡Mi chaleco!